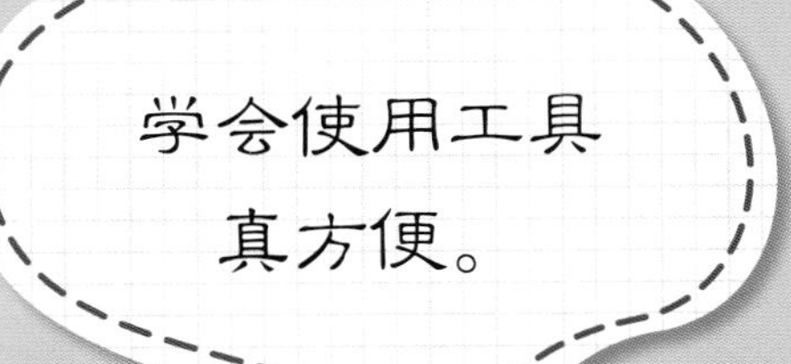

生产劳动中
使用的器具
都可以叫作工具。

版权合同登记号：图字：30-2021-019 号

图书在版编目（CIP）数据

滚动吧！小粪球 /（韩）李贤淑文；（韩）黄忠旭绘；徐刘硕译 . -- 海口：海南出版社，2021.7
（小小科学家系列）
ISBN 978-7-5443-9975-3

Ⅰ . ①滚… Ⅱ . ①李… ②黄… ③徐… Ⅲ . ①工具－儿童读物 Ⅳ . ① TB4-49

中国版本图书馆 CIP 数据核字 (2021) 第 094206 号

滚动吧！小粪球

GUNDONG BA! XIAO FENQIU

作　　者：[韩] 李贤淑
绘　　者：[韩] 黄忠旭
译　　者：徐刘硕
出 品 人：王景霞　谭丽琳
监　　制：冉子健
责任编辑：张　雪
策划编辑：高婷婷
责任印制：杨　程
读者服务：唐雪飞
出版发行：海南出版社
总社地址：海口市金盘开发区建设三横路 2 号
邮　　编：570216
北京地址：北京市朝阳区黄厂路 3 号院 7 号楼 102 室
印刷装订：北京雅图新世纪印刷科技有限公司
电　　话：0898-66812392
　　　　　010-87336670
邮　　箱：hnbook@263.net
版　　次：2021 年 7 月第 1 版
印　　次：2021 年 7 月第 1 次印刷
开　　本：787 mm × 1 092 mm　1/12
印　　张：3
字　　数：37.5 千字
书　　号：ISBN 978-7-5443-9975-3
定　　价：49.80 元

［韩］李贤淑 文 ［韩］黄忠旭 绘
徐刘硕 译

海南出版社
·海口·

妈妈滚的是圆溜溜的，爸爸滚的也是圆溜溜的，
他们每天都把圆溜溜的粪球滚来滚去。

屎小郎对圆溜溜的粪球总是不满意。

“我再也不想要圆溜溜的粪球了。

我想要三角形和方形的！”

但是爸爸、妈妈每天都唠叨一样的话：

“圆溜溜的粪球才好滚动呀。”

屎小郎决定亲自出马滚粪球。
他站在堆得像小山一样的牛粪前，一下子瞪圆了双眼。
“呜哇，好大一坨牛粪，像小山一样！”
屎小郎手忙脚乱地撕下一块牛粪，
努力地团在一起，牢牢捏紧，
做了一个方方正正的牛粪块。
嘿哟嘿哟，滚牛粪吧！

“啊！滚不动。”

哼哧哼哧，不管屎小郎怎么使劲儿，牛粪都不动。

圆溜溜的牛粪球都滚十圈了，

方方正正的牛粪块还是一动不动。

“难道没有什么好办法吗？”

这时，一辆装满行李的牛车
正好哐当哐当地经过。
“啊，有了，就是它！”
屎小郎嗖地一下跑开，
然后，哐当哐当地拉来一辆带轱辘的手推车。

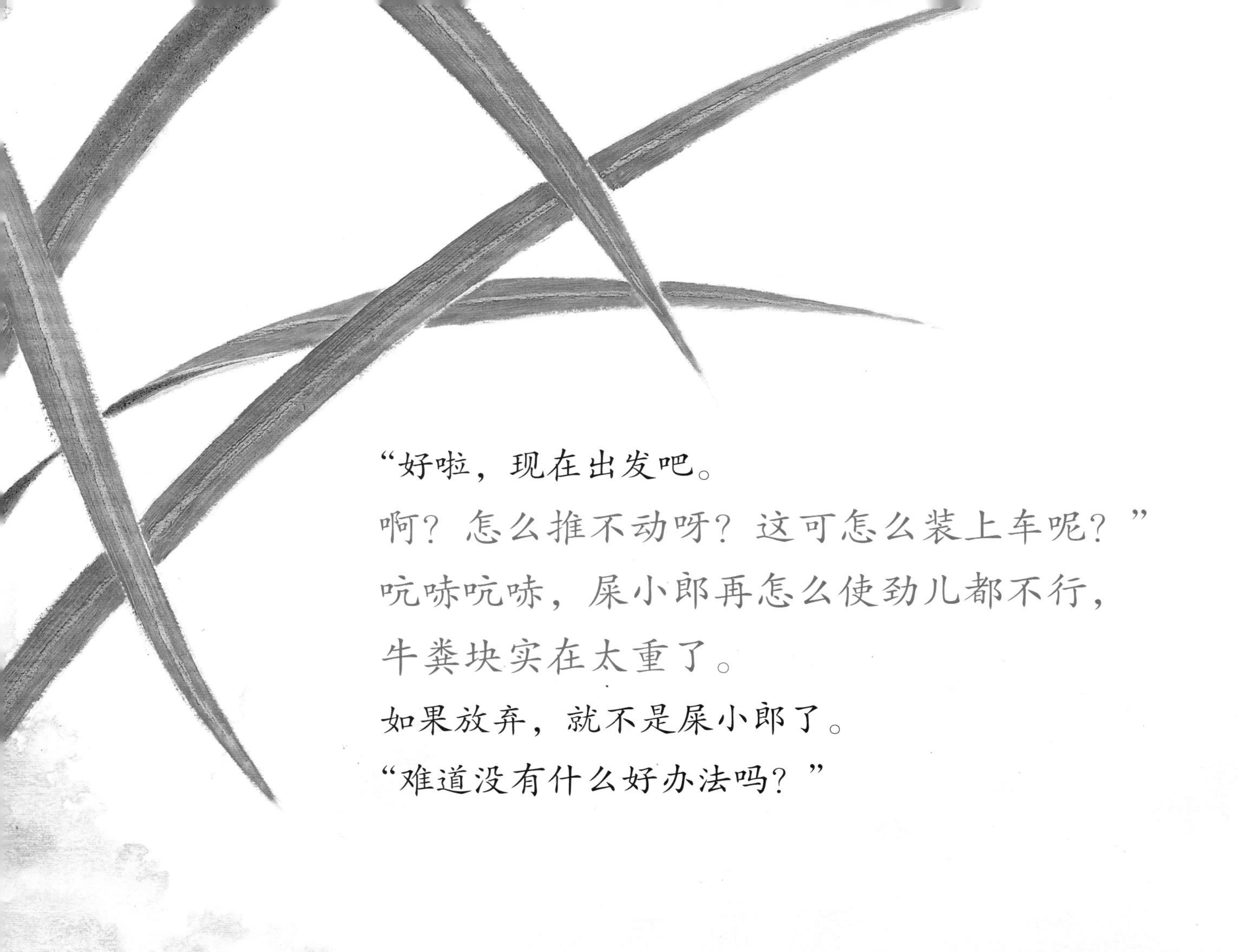

“好啦，现在出发吧。

啊？怎么推不动呀？这可怎么装上车呢？”

吭哧吭哧，屎小郎再怎么使劲儿都不行，

牛粪块实在太重了。

如果放弃，就不是屎小郎了。

“难道没有什么好办法吗？”

屎小郎突然想起上次搬家时的情景。

“啊，对了！当时爸爸是利用木板把行李运上车的！”

屎小郎不知道从哪里找来一块木板，

把它搭在车上，一下子把牛粪块推上了车。

“哇，太容易了，原来这样做就可以了啊！”

屎小郎开开心心地拉着车出发了。

他真是太高兴了，走着走着，突然，扑哧一声，

哎哟，原来是车轮陷到水坑里了。

屎小郎这边推推，那边拉拉，可车子就是一动不动。

如果放弃，就不是屎小郎了。

“难道没有什么好办法吗？”

这时，两只用棍子抬着行李的蚂蚁对屎小郎说：
“屎小郎，把棍子垫在轮子下面试试看。”
屎小郎把棍子支在小石头上，一端伸到车轮下面。
接着，在棍子的另一端这么一按，嘿！
“哇！成功了，成功了。”

屎小郎重整旗鼓，再次拉起车出发了。
太阳火辣辣的，天气非常炎热。
屎小郎累坏了。
“啊，要是能喝点水就好了……”
屎小郎决定找个地方喝水。

屎小郎找了好一会儿，才发现一口水井。
他气喘吁吁地跑到井边。
拿起旁边的水桶，打算放下去提一桶水喝。
“嘿，这个吊桶有滑轮，真是太好用了。”
咕咚咕咚，屎小郎把一桶水喝了个精光。

重新鼓足干劲的屎小郎
雄赳赳气昂昂地拉起车继续前进。
他远远地看到了家。
“爸爸、妈妈一定很吃惊。”

爸爸、妈妈真的非常吃惊。

“我们屎小郎可真棒，真是太棒啦！”

虽然这是非常辛苦的一天，但屎小郎心情好极了。

屎小郎也明白了为什么爸爸、妈妈带回来的牛粪都是圆溜溜的。

嘿哟嘿哟，滚牛粪吧！

要把重物抬起来或者搬动，可要费好大的力气呢。如果想更轻松，需要怎么做呢？

轮子

屎小郎能够用车把方形牛粪运回家，就是因为车有圆圆的轮子。如果轮子做成方形或者三角形的话，就没办法滚动着向前走了。

* 轮子的应用

即使像钢琴、冰箱这样的重物，放在下面有轮子的车上，也可以轻松搬走。自行车、汽车等交通工具也都是借助轮子来移动的。

斜面

如果想把沉重的行李放到高处，像推粪球一样，借助斜面把它推上去会非常省力哦。利用斜坡时，斜面的坡度越缓，花费的力气就越小。

* 斜面的应用

我们居住的公寓楼梯旁也有斜面，可以让婴儿车和自行车上坡的路就是斜面。建筑物里的楼梯或者高山上的盘山路，也都是利用斜面的原理修建的。

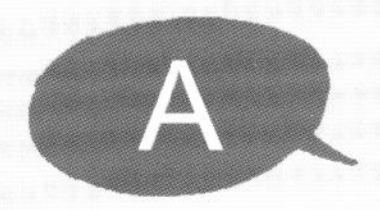

利用轮子、斜面、杠杆、滑轮等工具就可以啦！

杠杆

就像屎小郎把陷进水坑里的推车拉上来那样，利用支点和棍子制作杠杆的话，无论多么重的东西，都可以被轻松撬动。

* 杠杆的应用

我们身边利用杠杆原理制作的工具可真不少呢。游乐场的跷跷板、秤、开瓶器、剪刀等，全部都是利用杠杆原理制作而成的。

滑轮

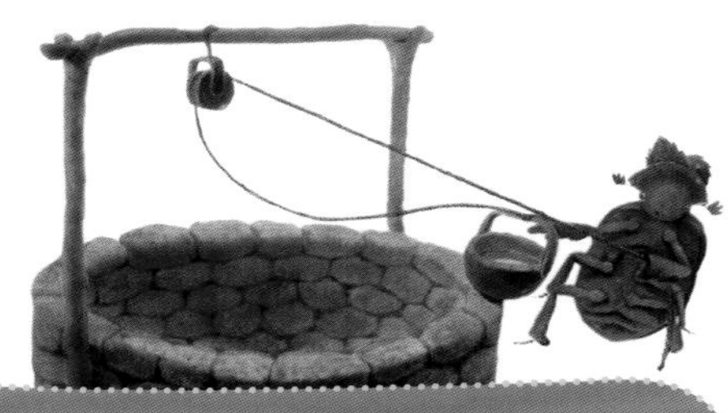

就像屎小郎在井边看到的那样，把绳子挂在圆形轮子上制作成滑轮，使用滑轮拉起或放下东西的时候会变得非常省力。不仅如此，它还可以改变力量的方向。

* 滑轮的应用

一起来找一找，在我们周围还有什么东西是利用滑轮的吧。不仅百叶窗和起重机利用了滑轮，而且旗杆上也装有滑轮。

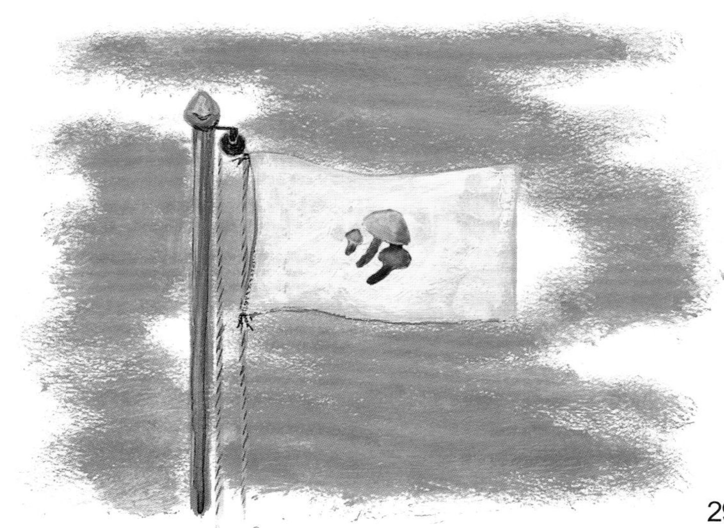

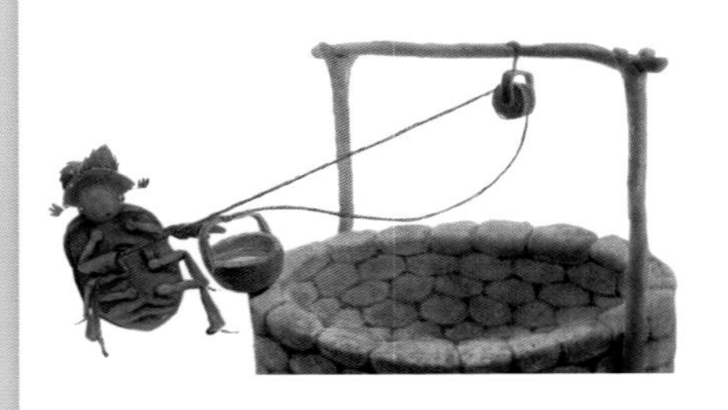

上来下去的滑轮

我们生活中常用的滑轮，它的构成原理非常简单。只要理解这个原理，就能很快做出滑轮。来，现在开始让我们做做看吧。

旧线轴　铁丝　长绳子　螺丝钉　直角角铁　螺丝刀　文件架　书

用螺丝刀和螺丝钉将直角角铁牢牢固定在空文件架的侧面。

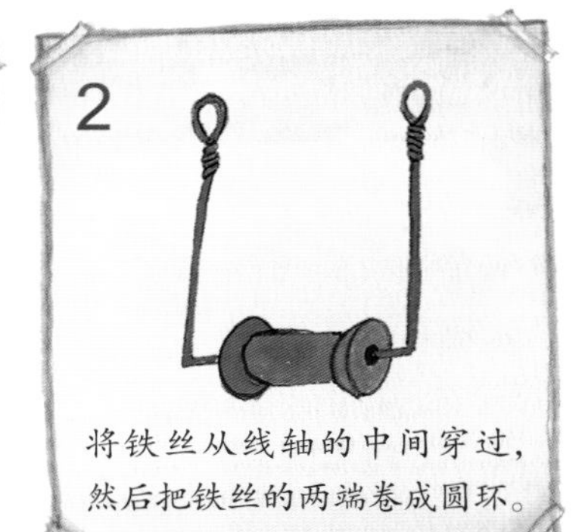

将铁丝从线轴的中间穿过，然后把铁丝的两端卷成圆环。

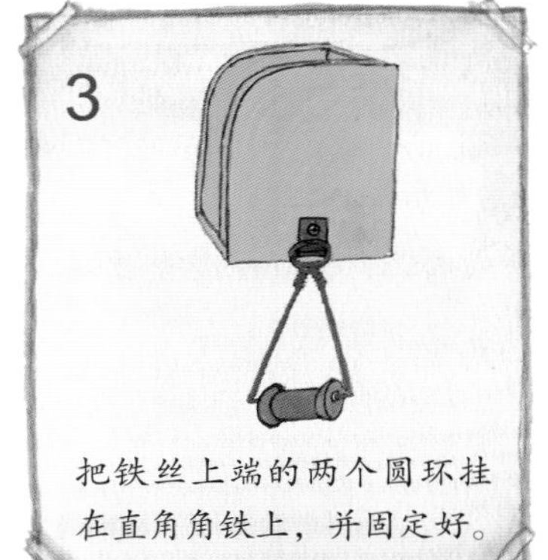

把铁丝上端的两个圆环挂在直角角铁上，并固定好。

滑轮做好了吗？

试着把书挂在绳子的一端，然后拉住绳子的另一端。你会发现，这时要比没有使用滑轮时更容易将书提起来。

来试试这样做吧！

在新的线轴中插入铁丝，与刚刚制作的滑轮连接，就会形成一个动滑轮。来比较一下，是不是比固定滑轮更省力。